Joanna Laskowska

Córka i córuchna Tululu

ilustrowała Marta Ostrowska

Wydawnictwo Skrzat
Kraków 2010

Ilustracje: Marta Ostrowska
Redakcja: Joanna Skóra
Korekta: Małgorzata Klich
Skład: Łukasz Libiszewski

ISBN 978-83-7437-480-4

Księgarnia Wydawnictwo Skrzat Stanisław Porębski
31-202 Kraków, ul. Prądnicka 77
tel. (012) 414 28 51
wydawnictwo@skrzat.com.pl

Córka i córuchna

liczna, złotowłosa dziewczyna siedziała przy kołowrotku i przędąc równiutką nić, śpiewała delikatnym głosem:

Na polu chatka,
do chaty ścieżka,
pod dachem w gniazdku
jaskółka mieszka.

Mieszkała złotowłosa ze swym ojczulkiem w takiej samej chacie jak ta z piosenki. Dobrze im się żyło, choć niebogato. Ale czy człowiek umie docenić to, co ma? Czy umie ocenić, jak jest mu dobrze? Nie zawsze, oj, nie zawsze. Tak było i w tym przypadku, ale po kolei…

Niedaleko ich chaty mieszkała wdowa z córką. Postawna z niej była kobieta i kucharka zawołana, a że samotnej kobiecie w życiu niełatwo, umyśliła wydać się za ojczulka. Co sprytniejsza kobieta wie, że przez żołądek można trafić do męskiego serca, toteż sprytna sąsiadka to kołacz upiekła i kawałek na spróbowanie sąsiadowi przyniosła, to pierożki z kapustą i grzybami ugotowała, to znów kulebiaczek przyrządziła. A wszystko pyszne, że palce lizać, mniam... mniam... I nim miesiączek minął, usidliła sąsiada i męża zdobyła, a ojczulek był rad, że jego złotowłosa Tereska znowu będzie mieć matkę. Macocha jednak rodzonej matki nie zastąpi, nawet jeśli się stara, a ta się nawet nie starała.

Zamieszkała wraz ze swoją córunią Terenią w chatce z jaskółczym gniazdem. A gdy się zadomowiła, powiedziała do męża:

— Tak nam tu wszystkim ciasno. Okropnie ciasno! Nasza izba, to izdebka, za mała dla czworga... A moja Terenia musi mieć więcej wygody, jest przecież taka delikatna, delikatna, że strach...

— Strach? Oj, aż strach! To co radzisz, żonko?

— Ano, myślałam, myślałam i coś wymyśliłam — powiedziała przymilnym głosem żona.

— A co, żoneczko? Co wymyśliłaś?

— Ano, coś mądrego. Jak to ja! Twoja Tereska zamieszka przy obórce, tam jest cieplutko i przyjemnie. A nam będzie luźniej.

— Ależ żono…

— Upiekłam dziś dla ciebie, mężulku, kołacz. Specjalnie dla ciebie. Co ty na to?

— O, tak, dziękuję! — ojczulek wciągnął zapach. — Uhm… coś wspaniałego.

— Cieszę się, że się ze mną zgadzasz — macocha uśmiechnęła się do męża i nim ojczulek się zorientował, co właściwie się stało, Tereska zamieszkała w ciasnej izdebce tuż przy oborze.

Macocha dbała, by dziewczynie zajęć nigdy nie zabrakło. Ale to nic, Tereska nigdy się pracy nie bała, więc z uśmiechem karmiła zwierzęta, oprzątała je, prała, rozpalała

ogień, zamiatała izbę, gotowała strawę, a gdy tylko macocha zobaczyła, że zmęczona dziewczyna przysiadła na chwilę, wołała:

— Co, zmęczyłaś się? No to siadaj do kołowrotka, przy tej robocie kręci się tylko wrzeciono, a prządka sobie siedzi.

Zaś Terenia, córunia macochy, całe dnie wylegiwała się na piecu, ziewała i drapała się w głowę.

— Co by tu zjeść? — myślała, coś zjadała i zasypiała. — Mamo, coś mnie kłuje w boku — wołała po przebudzeniu.

— To połóż się na drugim boku, córuniu.

Córunia więc przewracała się na drugi bok i zadowolona drzemała do wieczora w cieple, mlaskając przez sen, bo śniło jej się, że zajada mamine kulebiaki i podpłomyki.

A Tereska, no cóż... Tereska mieszkała w ciemnej, ubogiej izdebce, w której czuć było oborą. Minęło lato, nastała chłodnawa jesień i jakoś to było, ale wkrótce przyszła zima, a z nią trzaskające mrozy. Jednego dnia szalała zamieć

i pogoda była tak straszna, że psa na dwór nie wypędzisz. Tereska przygotowywała wieczerzę i krzątała się przy kuchni, nucąc cicho:

Za kominem zasnął kot,
szary kotek mały.
Smacznie spał, bo dość miał psot,
myszy harcowały.

Macocha była wściekła jak osa.

— Co to za dziewucha — myślała sobie — ani to ubrane porządnie, mieszka w oborze, a śpiewać jej się chce.

— Wody nie ma w cebrzykach. Idź, Teresko, po wodę do studni — powiedziała nagle macocha. Denerwowała ją ta uśmiechnięta pasierbica, która podśpiewywała czy to deszcz, czy mróz, czy trud, czy zmęczenie…

— Ależ żono, straszna zawieja jest na dworze, a na dodatek jeszcze ciemność zapada. Gdzie na taką pogodę dziewczynę wysyłasz?

— Wiem, co robię, mój mężu, dobrze wiem. A ty się nie wtrącaj! Nos w sos albo zjedz sobie jeszcze piernika i o nic się nie martw — dodała już łagodniej.

— To i mnie daj piernika — mruknęła córunia.

— A jużci, córuniu. No, a ty, na co jeszcze czekasz leniuchu, leć po wodę, pókim dobra!

Cóż było robić? Owinęła się Tereska chustą, wzięła cebrzyk, wsunęła chodaki na nogi i otworzyła drzwi od sieni. Ledwie zrobiła krok za próg, gdy cap! — pochwyciło ją wietrzysko i pchnęło w ciemność. Jak tu iść? Wicher zrywa chustę, szarpie spódnicę, nogi ślizgają się na oblodzonej ziemi, a zawieja siecze śniegiem prosto w oczy. Ledwie dotarła do studni, pochyliła się nad cembrowiną, żeby nabrać wody, gdy wicher ryknął przeraźliwie i uderzył dziewczynę ze straszną siłą… Chlup! Wpadła do lodowatej wody.

Mijają minuty, mijają godziny… Czeka ojciec. A dziewczyny jak nie ma, tak nie ma. Wyszedł przed dom:

— Teresko! Te-re-sko! — woła, ale w odpowiedzi usłyszał tylko zawodzenie wiatru. Zmagając się z zamiecią, doszedł do studni… Córki nigdzie nie było. Znalazł tylko jeden z jej chodaków przysypany śniegiem. Podniósł go ojczulek i wszystkiego się domyślił.

— Moja córeczko — szepnął — już cię nigdy nie zobaczę…

Jaka zimna woda w tej studni… brr… lo-do-wa-ta… — coraz niżej i niżej opadała Tereska, ściskając w ręku cebrzyk. Bum… cebrzyk uderzył o coś twardego, Tereska dotarła do dna. Stanęła dziewczyna, patrzy, a oto tuż przed nią drzwi. Takie same jak te do izdebki przy obórce. Pchnęła je mocno, skrzypnęły zawiasy: iiii… skrzyp… i już drzwi stoją otworem.

Niewiele myśląc, weszła do środka i… Nie, nie znalazła się w ciasnej izdebce z małym okienkiem.

— To chyba czary! — pomyślała. — Istne czary… — bo stała na ukwieconym, zielonym kobiercu, na zalanej słońcem łące. Gdzieś w oddali kłóciły się żaby, a tuż przed nią unosiły się w powietrzu różnobarwne motyle, ptaki śpiewały tiu, tiu, ti, ti, tiu… Pszczoły brzęczały. Jakże było pięknie.

Och, jakże pięknie! Ruszyła Tereska po kobiercu z pachnących kwiatów.

Szła, szła, aż doszła do brzegu rzeki, w której płynęła woda przejrzysta jak szkło i lśniąca w promieniach słońca, jakby ją ktoś obsypał diamentowym pyłem.

Płynie modra woda, płynie,
pluska cicho po równinie.
Jasno złotem rybka błyska,
słońce kapie ciepłem z nieba.
Ach, nic więcej mi nie trzeba.

Śpiewała, idąc, a potem siadła na brzegu.

— Odpocznę tu troszkę — pomyślała. Nagle coś usłyszała: — Co to? Czy ktoś szepcze? Czy woda szemrze? — przemknęło jej przez myśl. Rozejrzała się wokół i dostrzegła wątły strumyczek wijący się wśród traw. Podniosła się i wtedy dobiegły do niej całkiem wyraźnie słowa:

— Plusku plusk, chlupu chlup, podejdź no, Teresko, tu…

Zaciekawiona zrobiła kilka kroków w stronę głosu. To ze źródełka, z którego wypływał strumyczek. Nachyliła się nad jego powierzchnią nisko, niziutko, a ono coś chlupocze.

— Co? Co? Aha! — muł i błocko je oblepiło, i biedna woda nie może wypływać swobodnie, tylko sączy się coraz cieńszą strużką. Chwyciła Tereska swój cebrzyk i dalejże odgarniać błoto, wynosić je daleko od źródła. I już po chwili źródło trysnęło czyściutką wodą, a strumyczek zmienił się w wartką strugę i wesoło mknie do rzeki.

— Plino, plusk, plusk, plino, dziękuję ci dziewczyno — zapluskało źródełko. — Napij się mnie, plusk, plino, a nie zaznasz już pragnienia, dobra dziewczyno.

Tereska nachyliła się nad wodą, wypiła trzy łyki… I… co za dziwy, poczuła się nagle tak silna i rześka, jak silne i rześkie było teraz źródełko. Podziękowała więc źródełku pięknie i ruszyła dalej. Nie uszła daleko, za wzgórkiem całym w sasankach rosła jabłonka obsypana dojrzałymi owocami. Uginała się pod ich ciężarem i zwiesiwszy gałęzie nisko nad ziemią, dźwigała rumiane jabłka resztkami sił.

— Biedna jabłoneczka — użaliła się nad drzewem Tereska, a jabłoneczka zaszumiała:

Biedna ja, biedna matka jabłoneczka,
pomóż mi, Teresko, boś dobra dzieweczka.
Otrząśnij z gałęzi rumiane jabłuszka,
pomóż mi, Teresko, boś dobra dziewuszka.

— Pomogę ci — powiedziała Tereska i zerwała wszystkie dojrzałe jabłka z gałęzi jabłonki. Przygięte do ziemi drzewo wyprostowało się szczęśliwe. Podziękowało dziewczynie pięknym poszumem, a Tereska jedno najrumieńsze z rumianych jabłek na drogę wzięła i też pięknie podziękowała. Jabłko pachniało tak smakowicie, że dziewczyna odgryzła kęs.

— Mhm... cóż to był za wspaniały smak — miąższ wprost rozpływał jej się w ustach. A gdy spojrzała na jabłko — nie do wiary! — kęs odrósł i jabłko było znowu pełne i rumiane jak zachodzące słonko. Ruszyła Tereska w drogę,

ale znowu nie uszła daleko, gdy usłyszała jakieś posapywania i postękiwania...

— Pełen jestem, uff pełen, ojoj... Pełen bochnów chleba, wygarnąć je ze mnie trzeba. Ooo, ojoj, bo jeszcze chwila i pół chwilki, i chleby zmienią się w węgielki, oj, w czarne węgielki.

Patrzy Tereska, a tu dziw nad dziwy, stoi piec pełen bochnów chleba, więc nie czekała ani pół chwilki i łopatą powyjmowała wszystkie upieczone bochenki. Jakież były rumiane, a jak cudnie pachniały... Mój świecie! Nie ma przecież piękniejszego zapachu od woni świeżo upieczonego chleba. Uszczęśliwiony piec pozwolił wziąć Teresce tyle bochnów, ile uniesie, ale dziewczyna wzięła zaledwie jeden, bo i po cóż więcej. Pięknie piecowi się ukłoniła w podzięce i ruszyła dalej. Poszła ścieżką przez dąbrowę, potem dróżką przez brzezinę. Szła i szła, a choć niosła spory bochen chleba, wcale nie czuła jego ciężaru, jakby nie był cięższy od ptasiego puchu. Słońce chyliło się ku zachodowi, więc zdrożona siadła pod brzózką, by się najeść, i odłamała kawałek chleba. Był pyszny... znakomity. Patrzy, a chleb jest znów cały. Cuda... cuda. Podziękowała w duchu piecowi i poszła dalej. Niedługo to trwało, jeszcze mrok nie zapadł, gdy stanęła na brzegu lasu.

— Wejść czy nie wejść, wieczór się zbliża — zastanawiała się, ale że dzielna z niej była dziewczyna, weszła.

Ledwie uszła kawałek, napotkała chatkę. Tuż obok ganku, kurka, co ma jarzębiate piórka, ziarenek szukała, a kogucik-rudzik, co swym pianiem wszystkich budzi, grzebał po koguciemu, a tam gdzie rosły malwy przy płocie, szczypała trawkę kaczka pstra, co kaczęta ma. W jednym okienku siedział czarny kotek, a w drugim łaciaty piesek, na ganku zaś stała baba o srebrnych włosach z jednym okiem zielonym, a drugim brązowym. Popatrzyła na dziewczynę i mówi:

— Dokąd to, Teresko?

— Skąd zna moje imię? — zdumiała się Tereska, ale skłoniła głowę przed gospodynią i grzecznie odpowiada:

— Domu swego szukam.

— Pomieszkaj u mnie, nie pożałujesz. A gdy przyjdzie czas, dostaniesz sowitą zapłatę i wyprawię cię do twego domu. Nie będziesz miała za wiele obowiązków. Tyle tylko, by izdebkę sprzątać, łóżko zaścielić, zwierzęta nakarmić do syta, tylko tyle i kwita.

Zgodziła się Tereska do pracy u dziwnej gospodyni i zamieszkała w jej chacie.

Co rano srebrnowłosa baba gdzieś znikała, a gdy wracała do swojej chaty, w izdebce aż pachniało czystością. Pies i kot spali spokojnie najedzeni i mruczeli z zadowolenia przez sen, kurka jarzębiata co dzień jajko znosiła, a kaczka pstra, co kaczątka ma, kwa-kwa, kwakała zadowolona. O wschodzie kogut-rudzik głośnym pianiem wszystkich budził:

Odkąd mieszka tu Tereska,
kukuryku, kuku... ryku.
Mamy w kurniku
ziaren bez liku.

Nic więc dziwnego, że baba o jednym oku zielonym, a drugim brązowym była bardzo zadowolona ze swojej pomocnicy.

Mijały dni, tygodnie, miesiące, aż cały rok przeminął.

— Dziś dostaniesz zapłatę, na jaką zapracowałaś — powiedziała baba.

Wysunęła spod ławy dwie skrzyneczki, jedną pięknie rzeźbioną, drugą ślicznie malowaną. Postawiła je na stole przed Tereską, a potem zawołała wszystkie zwierzęta: i jarzębiatą kurkę, i koguta-rudzika, pstrą kaczkę, a na koniec czarnego kotka i łaciatego pieska. A gdy przed nią stanęły, zapytała:

— Którą skrzynkę mam dać Teresce?

— Zasłużyła na malowaną — zgodnie powiedziały zwierzęta. Baba zielonym okiem błysnęła i wręczyła Teresce malowaną skrzyneczkę, a potem chwyciła dziewczynę za rękę i zakręciła nią w kółko, kółeczko, aż świat jej w oczach zawirował. I cóż to się dzieje? Tereska stoi przed gankiem swojej rodzinnej chaty. Na podwórze wybiegli ojczulek, macocha, nawet Terenia odgoniła lenia, zlazła z pieca, żeby zobaczyć, co to się stało.

— Ale heca — szepnęła i rozdziawiła gębę jak gapa.

— Co tam masz? — spytała macocha pasierbicę, dotykając chciwie malowanego kuferka. A gdy Tereska otworzyła malowaną skrzyneczkę, oniemieli z zachwytu. Pełna była bowiem złotych monet i drogocennych kamieni. Klejnoty rzucały kolorowe blaski na ściany izdebki: żółte jak słońce w południe, zielone jak liście jabłoni i czerwone jak dojrzałe jabłka.

— Cóż to za bogactwa — szepnęła macocha — skąd to masz?

Opowiedziała Tereska o wszystkim, co ją spotkało. Ucieszył się ojczulek, słysząc, jakie dobre serce ma jego dziecko, macocha zaś siedziała nachmurzona, bo zżerała ją zazdrość. Gdy nadszedł wieczór, ojczulek i Tereska szczęśliwi zasnęli spokojnie, leniwa Terenia pochrapywała, ale macocha nie mogła zmrużyć oka.

— Jak to tak? Jak to może być, żeby byle pasierbica, moja służka, co w chacie wszystko robiła, miała taki skarb? —

Ech… gdyby mogła, to by Tereskę w łyżce wody utopiła. Przewracała się długo z boku na bok, zawiść ją dręczyła, aż wreszcie się zerwała i podbiegła do swej Tereni.

— Obudź się! Wstawaj! — potrząsnęła córką i rozespaną, ziewającą nieprzytomnie wyciągnęła za rękę przed chatę. — Jesteś lepsza niż ta pasierbica, więc i tobie należy się skarb. I to wiele większy niż tej znajdzie. No, wskakuj do studni. I większą skrzynię skarbów przynieś.

— A długo będę tam, matuś? A tam jest ciepło? Bo ja delikatna jestem, jak nie wiem co. No, jak długo mam tam być?

— Nawet i sto dni siedź w studni! I nie wracaj bez złota — powiedziała macocha i popchnęła ją do wody. Plusk!

Patrzy macocha przechylona przez cembrowinę, patrzy, ale nic zobaczyć nie może, studnia głęboka jak to studnia i nic zobaczyć się nie da.

A Terenia spadała, spadała coraz niżej i niżej. Puk! O żółty piasek uderzyła. Patrzy, a tu przed nią drzwi jak do rodzinnej chaty. Och, jakby to było miło siąść na przypiecku. Popchnęła drzwi raz — nie puszczają, drugi raz, coś skrzyp! — skrzypnęło, ale nadal pozostały zamknięte. Zebrała wszystkie siły i rękami jak z waty, bo do wysiłku nie nawykła — popchnęła je. Stanęły otworem, a dziewczyna fik, fik, fik przekoziołkowała z rozmachem przez próg, ale zamiast znaleźć się we własnej izbie, znalazła się wśród zielonych łąk. Ruszyła przed siebie przez piękną krainę i nagle chlup! Wlazła w błoto po kolana.

— A co to za paskudztwo?! — wykrzyknęła. — Cóż to za błocko obrzydliwe.

Nagle coś usłyszała, jakby bulgoczące słowa:

— Plusku plusk, chlupu chlup, nachyl się, Tereniu, tu — nachyliła się dziewczyna z obrzydzeniem, a to woda z zamierającego źródełka szemrała. Tak cicho i niewyraźnie, bo muł i błoto oblepiły je ze wszystkich stron. Ostatkiem sił cienka strużka wypływa ze źródła i błaga dziewczynę szeptem:

— Oczyść mniee, oczyść mniee…

— Co? Ja? A co to ja, prosię, żeby w błocku taplać! No nie! Jestem gospodarską córką, malowaną bryczką do kościoła jeżdżę. A w ogóle, to idę po skarb i nie mam czasu.

— Proszę cię, proszsz... — błagało na próżno źródło.

Ale dziewczyna już nie słuchała, odeszła, nie spojrzawszy nawet za siebie. Obmyła zabłocone nogi w rzece i ruszyła dalej. Doszła do wzgórza, na którym rosła zgięta pod ciężarem owoców jabłoneczka. Terenia podeszła bliżej i usłyszała, że jabłonka coś szumi, tylko co?

Biedna, ja biedna matka jabłoneczka,
pomóż mi, Tereniu, jak dobra dzieweczka.
Otrząśnij z gałęzi rumiane jabłuszka,
pomóż mi, Tereniu, jak dobra dziewuszka.

— Jeszcze czego! Otrząsać jabłka z drzewa? A może jeszcze zbierać je z ziemi? O nie! To nie dla mnie, gospodarskiej córki, co w malowanej bryczce na jarmarki jeździ. A na drogę wezmę sobie tyle jabłek, ile zechcę.

Jak powiedziała, tak zrobiła. Narwała sobie jabłek pełną chustę, a ile gałęzi przy tym połamała…

— Co mi tam jakieś gałęzie… — wzruszyła ramionami i poszła dalej. A jabłoneczka pozostała sama, samiutka wśród łąk, pochylona pod ciężarem jabłek jak przedtem. Ocierała liśćmi żywicę cieknącą z ran po złamanych gałęziach i płakała:

Zła dziewczyna z tej Tereni,
nic jej chyba nie odmieni.
Jabłek ze mnie nie zerwała,
gałęzie mi połamała.
Zła dziewczyna z tej Tereni.

A dziewczyna szła i szła, a droga jakby rozciągała się przed nią bez końca. Przedzierała się przez gęstwinę krzewów i drzew, a potem przeprawiała się przez mokradła. Szła, szła, a droga nie chciała się skończyć, a jeszcze te jabłka… ciążyły tak, jakby były z kamienia. Rozwinęła Terenia chustę… I oczom nie chce wierzyć… Co to? Jabłka były naprawdę z kamienia. Wyrzuciła je ze złością wszystkie i pięściami pogroziła w stronę, gdzie rosła jabłoń.

— Żebyś tak się do samej ziemi przygięła, żeby cię tak całkiem połamało… — wrzasnęła.

Zmęczyła się już okrutnie, a na dodatek była głodna jak wilk i strasznie spragniona, ale cóż mogła zrobić? Ciężko westchnęła i ruszyła przed siebie wolno, wolniutko, gdy wtem nagle coś poczuła. Cóż to za zapach? Jakby świeży chleb… Na tym pustkowiu? Tak. Był to piec pełen upieczonych chlebów. Stał przy samym lesie i prosił:

— Pełen jestem, uff, pełen, ojoj… pełen bochnów chleba, wygarnąć je ze mnie trzeba. Ooo, ojoj, bo jeszcze chwila i pół chwilki, i chleby zmienią się w węgielki, oj, w czarne węgielki. Ojej! Już się ze mnie dymi — zajęczał piec głośniej, bo też biedak był cały rozogniony.

— Chleb! Świeży, świeżutki chleb — krzyknęła uradowana Terenia. Dopadła do pieca, otworzyła drzwiczki, wyjęła najpiękniejszy bochenek i łapczywie zaczęła odgryzać duże kęsy, a potem odłamała wielką skibę, owinęła resztę w chustę i ruszyła dalej w drogę, zajadając się pysznym chlebem.

— Wygarnij bochenki — wołał za nią piec, teraz już wyraźnie dymiło z niego. — Wygarnij, Tereniu miła, bo się spalą lada chwila!

— To niech się spalą, co mi tam, mnie jeden wystarczy! Oj, co to? Tfu... tfu... — zamiast miąższu świeżego chleba usta miała pełne popiołu... A w chuście? To niesłychane, zamiast pięknego, rumianego bochenka, była dymiąca bryła węgla.

— Co to za wstrętny świat! Żeby go ziemia pochłonęła! — wyrzekała, idąc i tak doszła do domku krytego strzechą, tego samego, w którym Tereska była na służbie. Na progu stała srebrnowłosa baba o dziwnych oczach: jednym zielonym, a drugim brązowym. Długo patrzyła na dziewczynę to jednym okiem, to drugim, aż w końcu mówi:

— Dokąd to, Tereniu?

— Domu swego szukam — odpowiedziała szybko Terenia, bo pamiętała opowieść Tereski.

— Pomieszkaj u mnie, nie pożałujesz. A gdy przyjdzie czas, dostaniesz sowitą zapłatę i wyprawię cię do twego domu. Nie będziesz miała za wiele obowiązków. Tyle tylko, by izdebkę sprzątać, łóżko zaścielić, zwierzęta nakarmić do syta, tylko tyle i kwita.

Terenia zgodziła się skwapliwie na służbę, ale nic nie robiła, tylko całe dnie wylegiwała się na zapiecku. Łóżko baby było rozgrzebane, pościel leżała nieuprzątnięta, a podłoga śmieciami zarzucona. Osowiałe zwierzęta pochowały się po kątach. Piesek i kotek uciekały przed nią ze spuszczonymi ogonami. Biedactwa miały zmierzwioną sierść, a oczy przygasłe i smutne …

Co wieczór, gdy baba o srebrnych włosach wracała do domu, oczom nie chciała wierzyć. Wszędzie było pełno brudu, garnki puste, a zwierzaki głodne i zaniedbane.

— To ci z niej pomocnica! — szeptała do siebie i głową kręciła.

Wreszcie minął czas Tereninej służby. Wzywa baba wszystkie zwierzęta i pyta jastrzębiatą kurkę i koguta-rudzika, pstrą kaczkę, czarnego kotka i łaciatego pieska, jak nagrodzić dziewczynę za jej służbę?

— Jaką mam dać Tereni skrzyneczkę, malowaną czy rzeźbioną?

Wszystkie zwierzaki zgodnie odpowiedziały:

— Rzeźbioną — zagdakała jarzębiatka.

— Rzeźbioną — zapiał kogut.

Pstra kaczka zakwakała, kot zamiauczał, a pies zaszczekał:

— RZEŹBIONĄ!

Wyrwała Terenia rzeźbioną szkatułkę z rąk srebrnowłosej baby i przytuliła do siebie.

— No, nareszcie ją mam — mruknęła, odwróciła się na pięcie i już chce odchodzić.

— Żegnaj, Tereniu — powiedziała srebrnowłosa baba o jednym oku zielonym, a drugim brązowym i dotknęła lekko ręki dziewczyny.

A ta, jak nie zacznie się kręcić w kółko, w kółeczko, jak fryga. Śmieją się głośno i pstra kaczka, i kogucik-rudzik, co pianiem wszystkich budzi. Ha, ha! Słychać śmiech kotka i pieska, co w chacie pod strzechą mieszka.

Chlup! Coś lepkiego oblało Terenię od stóp do głów. Chlup! Spłynęła na nią z góry lawina ropuch i paskudnych robali. Brrr…

— A to wstrętna baba! — wrzasnęła na całe gardło Terenia.

Zacisnęła powieki, a gdy otarła twarz i otworzyła oczy, ujrzała ganek rodzinnego domu.

— Co to za hałas? Spadło coś na podwórko! — wykrzyknęła macocha i wybiegła przed chatę. Patrzy i oczom nie wierzy — obok studni stoi jej córunia, ale zamiast paradnego stroju, ma na sobie łach brudny, zalany mułem i błotem.

— To nic… To nic, zaraz cię umyję, zaraz przebiorę, moja córuniu, moja kochana. A teraz otwórz swój kuferek ze skarbami. No, pospiesz się, pospiesz, otwieraj.

Odmykają wieko kuferka, a tam pełno kamieni okrągłych jak jabłka, spalone na węgiel bochny chleba... i popiół, masa popiołu...

Pobeczała się Terenia na całe gardło — beee... i płakała, a oczy aż jej spuchły. Zbrzydła od tego płaczu, a że nigdy piękna nie była, więc teraz była paskudna. Macocha, pobladła ze złości, pierwszy raz w życiu krzyknęła na swoją córunię:

— Cicho, ty głupia, leniwa dziewucho!

Wieści o „skarbie" Tereni rozeszły się szybko jak wiatr po całej okolicy i wszyscy śmiali się z chciwej macochy, więc pewnego ranka, zanim wzeszło słońce, macocha ze swoją Terenią poszły w daleki świat, bo wstyd im było ludziom w oczy spojrzeć. Od tej pory słuch o nich zaginął.

A Tereska wyszła za mąż za chłopaka, co biedny był jak mysz kościelna, ale serce miał złote, a najważniejsze, kochał Tereskę ogromnie, a ona jego równie mocno. Młodzi małżonkowie za jeden klejnot z kuferka — ten żółty jak słońce, kupili szmat gruntu, za zielony jak trawa w maju wybudowali

nowy dom kryty gontem, za czerwony — dwa kasztanki, krowę, trzy gąski, koguta i kurkę, taką jak ta u baby ze srebrnymi włosami, kurkę jarzębiatą. I do dziś żyją z ojczulkiem szczęśliwie, i kochają się, bardzo kochają.

Tululu

W maleńkiej chatynce na skraju małej wioski żyli sobie mąż i żona. Stareńki dziadziuś ze swoją babcią starowinką. Mieli malutki spłachetek pola, a choć był niewielki, to im wystarczał w zupełności. Mieli krowę i kozę, i żyli sobie spokojnie, choć skromnie. Któregoś razu westchnął dziadziuś i mówi do babci:

— Oj, zjadłbym sobie kromkę chleba z masłem, takiego świeżego chleba, pachnącego i chrupiącego.

— Upiekę ci chleb — obiecała babcia i z drewnianą miską poszła do komory. Z płóciennego worka pełnego bielutkiej żytniej mąki, nasypała słuszną miarkę, dolała mleka, dodała drożdży, z mąki ciasto zaczyniła i postawiła w cieple, a ciasto wyrosło wysoko pod samą powałę. Dodała masła i… plass, plass, plask — zaczęła je wyrabiać —

plask, plask, plass. A gdy już było wyrobione, uformowała zgrabny bochenek i wsunęła na łopacie do rozgrzanego pieca. Chleb upiekł się pięknie, miał skórkę złotą jak niebo o zachodzie.

Babunia położyła upieczony bochen na chrzanowych liściach i już, już miała ukroić pierwszą skibkę, gdy nagle bochenek jak żywy wyślizgnął się z jej rąk i tulululu... potoczył się drogą tak szybko, że biedna babuleńka złapać go nie mogła. Chleb toczył się, toczył w świat, śpiewając sobie:

Chlebek ci ja, chlebek
z drożdży zaczyniony,
z mąki ugnieciony.
Bochen ci ja, bochen
z ciasta ulepiony.
Wystudził mnie wiatr,
gdy uciekłem w świat.

Toczył się bochenek i toczył, podśpiewywał sobie, aż dotoczył się pod las. A zza krzaka kic, kic — szarak przykicał. „Buru, bru” w brzuchu burczy mu.

Nie jadłem nic od rana!
Pojem chleba, oj, da dana!
Zjem cię, zjem cię, chlebku miły,
by mi siły powróciły!

A chleb na to:

— Oj, nie! Oj nie, nie! Skoczę hop! i nie ma mnie.

I zanim się zając spostrzegł, już chleba nie było.

Turla się bochenek. Tulululu! Tulululu! Po drodze w głąb lasu.

— Uff! Tu sobie odpocznę — pomyślał. — Oj! Kto tu? — krzyknął przestraszony, bo zza krzaka wyskakuje wilk z groźnym pomrukiem:

— Wyszedł z kniei wilk kudłaty, głodny nie na żarty, w brzuchu ma pusto, zjadłby nawet groch z kapustą!

— A to co? Czy spadłeś z nieba? — wykrzyknął, widząc bochenek. — Spadłeś czy nie spadłeś, co za różnica.

— Zjem cię, zjem cię, chlebku miły, by wróciły moje siły! Nadszarpnięte wilcze siły.

A bochenek zakręcił się niczym bąk i jak nie krzyknie:

— A nie! Niedoczekanie twoje! Ty, ty wilku jeden. Hop, siup!

Uciekłem dziadkowi,
uciekłem i babci,
ucieknę wilkowi
raz, dwa jak się patrzy.

I już go nie ma, jakby go ukryła ziemia.

Tulululu, toczy się chleb leśnymi drogami, dróżkami, drożynkami i tocząc się, podśpiewuje:

Chleb ci ja, chlebek,
z drożdży zaczyniony,
z mąki ugnieciony.

Bochen ci ja, bochen
z ciasta wyrobiony,
w piecu upieczony.
Wystudził mnie wiatr,
gdy uciekłem w świat!

Usłyszała tę piosenkę lisica, wyszła ze swej norki, rudym futerkiem w słońcu zalśniła i mówi:

— A któż to tak pięknie śpiewa! Wietrzyk? Strumyk? Czy też drzewa?

— Nie, to śpiewam ja, bochenek!

Nisko lisica łeb skłania:

— Bardzo mi się podoba twoja piosenka. Zaśpiewaj mi jeszcze raz, proszę — i łakomie na chleb spogląda.

— *Chlebek ci ja, chleeeb...*

— Pięknie, pięknie, tylko trochę za cicho. Bo widzisz, ja trochę niedosłyszę, siądź mi na nosie i zaśpiewaj głośno.

Zadowolony bochenek wgramolił się na lisi nos, rozsiadł się i śpiewa:

Chlebek ci ja, chleeebek
Z drożdży zaczyniony
Z mąki ugnieciooo…

— Ach, jaka ta twoja piosenka piękna… ale jeszcze lepiej będę słyszała, gdy siądziesz mi na języku. Obiecuję, że to moja ostatnia prośba — i sprytna lisica ślepiem mruga.

Jakże nie posłuchać tak uprzejmej prośby. Siadł więc bochenek na lisim języku i znowu swoją piosenkę zaczyna:

— *Chle…* — ale więcej nie zdążył zaśpiewać, bo — ham! lisia paszcza się zamknęła — mniam, mniam! — i lisica ze smakiem chlebek połknęła.

I tak, choć bochenek uciekł dziadkowi i babci, i szaraczkowi, i złemu wilkowi, to dał się schwytać lisicy. A dlaczego? Bo dał się wziąć na lep pochlebstw, lepkich i słodkich jak miód!

Spis baśni